Qué animales!

Eduardo Bustos • Lucho Rodríguez

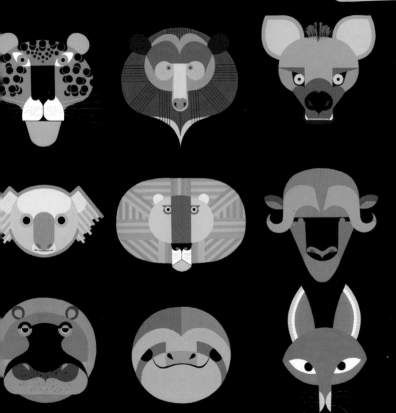

EDICIONES

Hipo trae sólo su nor
simpático y muy obes
y puede que nos asom
al nadar con tanto pes

Sin competir en carrera
para ganar no me tardo,
voy tan veloz como dardo
para alcanzar a cualquiera.

Leopardo

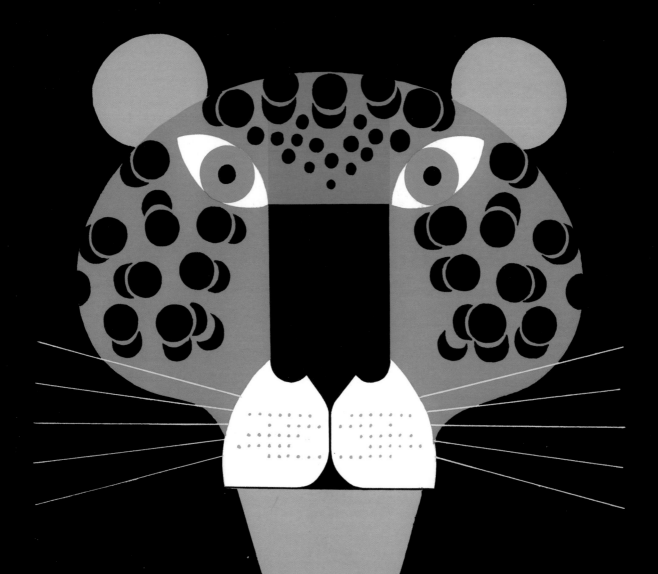

Feliz en Australia vivo
en la copa de un gran árbol,
y mi alimento consigo
para el bebé que atrás cargo.

Koala

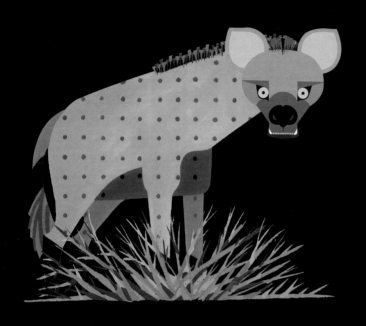

Mi sonrisa es permanente
no porque ande muy contenta,
casi siempre estoy hambrienta
y me pongo algo impaciente.

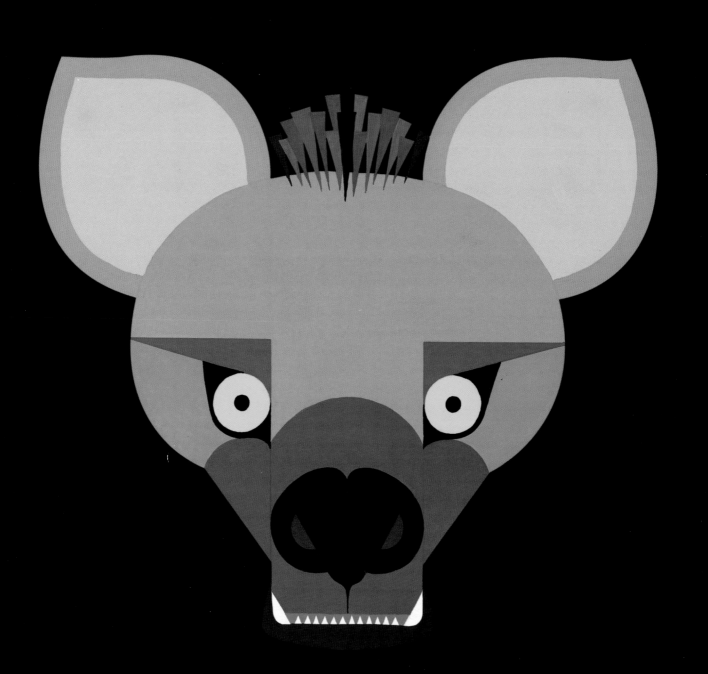

No le gusta la playa,
es doméstico y salvaje;
vive en el monte Himalaya
con su lanudo pelaje.

Yak

Algunos tienen dos dedos
otros más cuentan con tres,
no se meten en enredos
y en comer tardan un mes.

Perezoso

Que es astuto lo sabemos;
cual famoso personaje
en las fábulas lo vemos,
ni serio ni tan salvaje.

Zorro

Los anteojos no se quita
porque los trae noche y día,
y aunque no los necesita
siempre son su compañía.

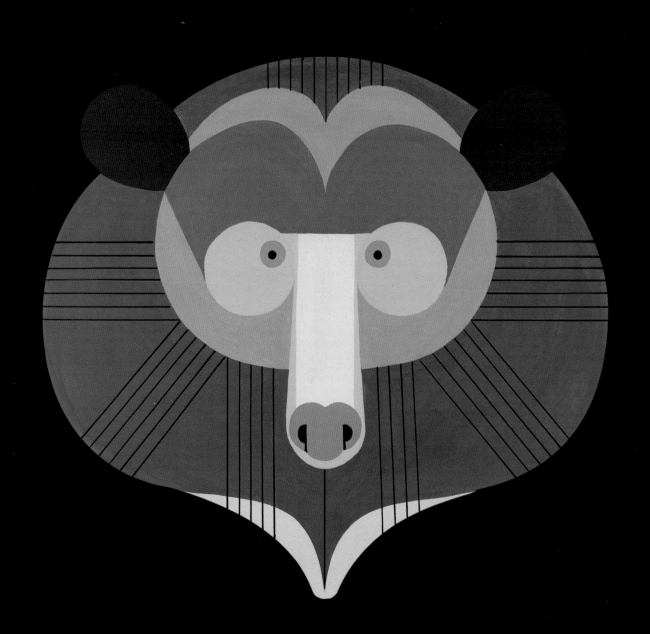

Es un curioso zorrito,
siempre ágil y muy despierto,
orejón desde chiquito,
sabe andar en el desierto.

Fenec

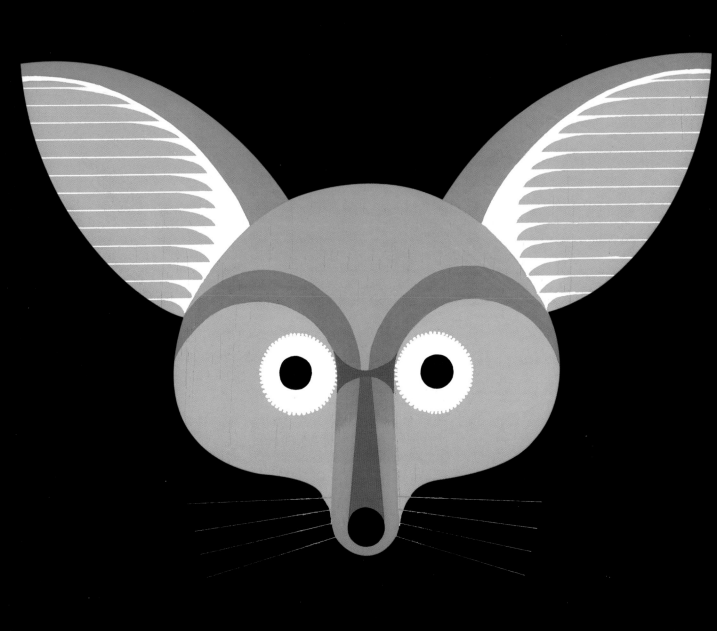

Ojos enormes yo tengo
que cierro durante el día,
y por las noches los abro
muy grandes como un vigía.

Tecolote

Entre arbustos y sabanas
ruge, come y se pasea.
Sólo en tierras africanas

Primera edición: 2007
Primera reimpresión: 2011

D.R. © Eduardo Bustos
D.R. © Lucho Rodríguez

D.R. © Ediciones Tecolote, S.A. de C.V.
General Juan Cano 180
Colonia San Miguel Chapultepec
11850, México, D.F.
5272 8085 / 8139
tecolote@edicionestecolote.com
www.edicionestecolote.com

Coordinación editorial: Mónica Bergna
Diseño: Ediciones Tecolote

ISBN: 978-970-9718-87-4
Impreso y hecho en México

¡Qué animales!
se terminó de imprimir en el mes de noviembre
de 2011, en Editorial Impresora Apolo.
Se tiraron 2000 ejemplares.